Le Viaduc de Millau

The Millau Viaduct

Portfolio

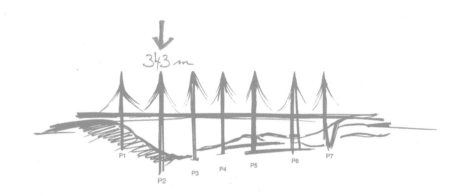

VIADUC n.m. (du lat. *via*, voie, et *ducere*, conduire). Ouvrage d'art de grande longueur, généralement à plusieurs arches, permettant le franchissement d'une vallée par une route ou une voie ferrée.

VIADUCT n. (from the Lat. *via*, way, and *ducere*, to conduct). Huge structure, usually with several arches, allowing a road or a railway to cross a valley.

6 | 35

36 | 91

92 | 103

14 décembre 2001
DECEMBER 14th, 2001

25 mars 2003
MARCH 25th, 2003

24 novembre 2003
NOVEMBER 24th, 2003

Pose de la première pierre

Jean-Claude Gayssot alors Ministre des Transports pose la première pierre : cet acte symbolique marque le démarrage officiel du chantier. Après les travaux de terrassement et de fondations, les piles peuvent commencer leur ascension.

Laying the first stone

Former French transport minister Jean-Claude Gayssot lays the first stone: this symbolic action marks the official start of the construction. After earth-moving and laying of the foundations, the piers start to climb towards the sky.

A l'assaut du vide

Sur le Causse du Larzac, le premier tronçon de tablier s'élance dans le vide. Tandis que les piles grimpent toujours plus haut, à la conquête des records.

Conquering the void

On the Causse du Larzac, the first section of the deck soars above the void, while the piers climb ever higher, seeking records.

Les piles à leur zénith

Le chantier des piles s'achève : un événement célébré par un magnifique spectacle son et lumière, admiré par plus de 400 personnes.

The piers reach their zenith

Construction of the piers is finished: the event is celebrated by a magnificent son et lumière show admired by more than 400 people.

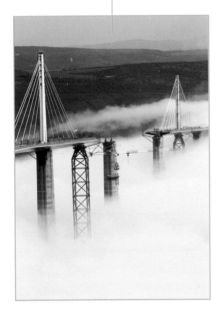

28 mai 2004
MAY 28th, 2004

Rencontre à 268 mètres au-dessus du Tarn

A 268 mètres au-dessus du Tarn, les parties nord et sud du tablier se rejoignent enfin. Les sept pylônes haubanés complètent l'ouvrage à l'allure de navire.

Meeting 268 metres above the Tarn river

The northern and southern parts of the deck are finally joined 268 metres above the Tarn river. The seven cable-stayed pylons complete the structure, which resembles a great ship.

14 décembre 2004
DECEMBER 14th, 2004

Inauguration du viaduc

Les derniers travaux viennent clôturer trois ans de chantier. Le 14 décembre 2004, le viaduc est inauguré par le Président de la République, en présence des équipes Eiffage et de nombreux invités.

The viaduct inauguration

The finishing touches bring three years of work to an end. On December 14th, 2004, the viaduct is inaugurated by the President of the Republic in the presence of the Eiffage workforce and many guests.

Glossaire & plans
GLOSSARY & DRAWINGS

Avant de s'élever dans la vallée du Tarn, le viaduc a déjà pris forme sur le papier. De plans en coupes transversales, l'ouvrage apparaît sous toutes ses coutures.

Before spanning the Tarn valley, the viaduct took shape on paper. Plans, cross-sections... the structure appears from every possible angle.

14 décembre 2001
DECEMBER 14th, 2001

Pose de la première pierre

Il y a deux mois qu'est paru au Journal Officiel le décret approuvant la concession du viaduc à la société Eiffage. Le temps du démarrage officiel du chantier est venu : le 14 décembre 2001, Jean-Claude Gayssot, alors Ministre de l'Équipement et des Transports, pose la première pierre. Autrement dit, il coule symboliquement un parchemin signé de sa main dans le quatrième pilier de l'ouvrage. Aux travaux préparatoires de terrassement du terrain, succède le travail de fondation : creuser, bétonner et ferrailler les puits marocains sur lesquels reposeront les sept pieds du viaduc. Puis couler les semelles de béton qui assurent l'assise de l'ouvrage. Dès le printemps 2002, les piles amorcent leur course vers les nuages. Pendant ce temps, le tablier prend forme dans les usines Eiffel de Lauterbourg en Alsace et de Fos-sur-Mer, et le premier caisson central arrive le 7 août 2002 sur le site de Millau.

Laying the first stone

The decree approving the concession of the viaduct to Eiffage was published in October 2001 in the Official Gazette. The time has come to officially start building: on December 14th, 2001 former French transport minister Jean-Claude Gayssot lays the first stone. In fact, he throws a parchment, signed by his own hand, into the foundation of the structure's fourth pier. After the preparatory earthworks come the foundation works: digging the shafts which are filled with reinforced concrete to support the viaduct's seven piers before casting the concrete footings of the piers. In the spring of 2002, the piers start their ascent towards the clouds. During this time, the deck is being pre-fabricated at the Eiffel plants in Lauterbourg (Alsace) and Fos-sur-Mer (near Marseilles). The first central box girder arrives at the Millau worksite on August 7th, 2002.

1

1

Mars 2002 : des pistes ont été tracées pour permettre aux véhicules d'accéder aux plates-formes de travaux.

March 2002: tracks are prepared to allow vehicles to reach the work platforms.

2

Les ouvriers, en rappel le long de la paroi de la plate-forme P1, fixent un filet de protection pour éviter les chutes de pierres.

Workers abseiling down the P1 platform wall fix a safety net to prevent stone falls.

3

Sur le Causse rouge, les bulldozers préparent le terrain de la future culée nord.

On the Causse rouge *bulldozers prepare the site of the future north abutment.*

2

3

1

1

A la base de chaque pile, quatre puits dits « marocains » assurent l'ancrage des pieds du viaduc dans le sol.

At the bottom of each pier four foundation shafts ensure that the viaduct is securely anchored in the ground.

2 & page de droite, *right-hand page*

D'un diamètre de 4 à 5 mètres, les puits sont creusés sur 12 à 18 mètres de profondeur.

Each shaft is from 4 to 5 metres in diameter and from 12 to 18 metres deep.

2

1

2

Une fois creusés, les puits
marocains sont dotés d'une
armature de métal. 1 200 tonnes
de ferraille auront été nécessaires
pour réaliser cette opération sur
toutes les plates-formes des piles.

*Once the shafts are dug, they are filled
with metal reinforcing. 1,200 tons of
steel are necessary to carry out this
operation on all seven pier
foundations.*

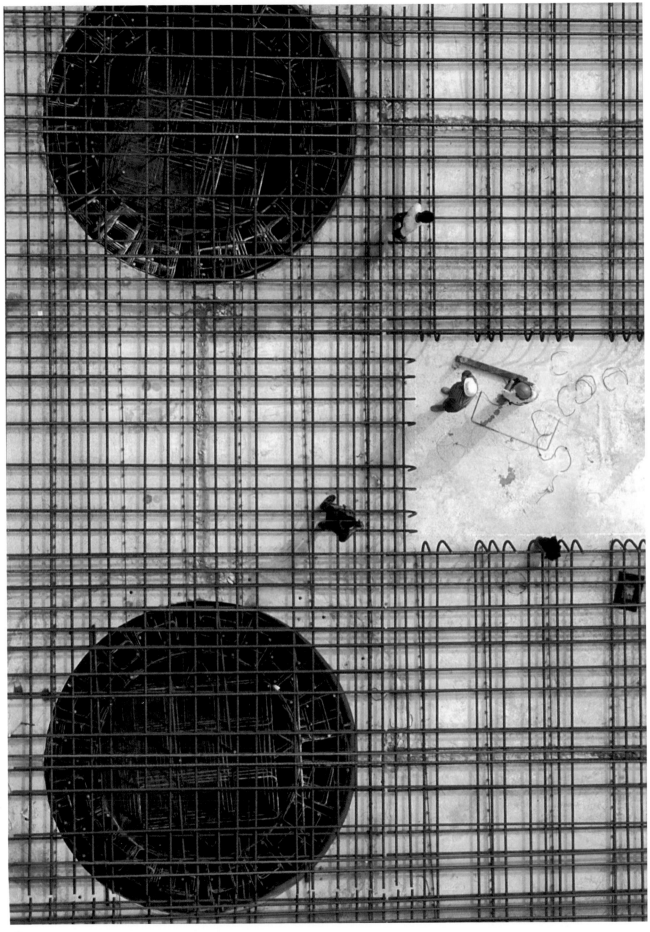

3

1

Deux centrales à béton,
de 80 m³/heure de capacité
chacune, ont été installées sur
le site pour répondre aux besoins
du chantier.

*Two concrete mixing plants, each
with a capacity of 80 m³/hour, have
been installed to meet the needs of the
worksite.*

Page de droite, *right-hand page*

Le sable et les gravillons, nécessaires
à la fabrication du béton, proviennent
principalement de la carrière du
Rascalat, dans le Causse rouge.

*The sand and gravel needed for
concrete manufacture come mainly
from the Rascalat quarries on the
Causse rouge.*

1

De jour comme de nuit, les bétonneuses font la navette entre les centrales et les plates-formes de construction des piles.

Lorries ply night and day between the concrete-mixing plants and the site of each pier.

2

90 000 m³ de béton au total auront été coulés sur le chantier du viaduc.

In total, 90,000 m³ of concrete were used in the construction of the viaduct.

1

1	2
En contrebas du plateau du Larzac, les ferrailleurs tissent l'armature d'acier de la semelle, cette dalle qui servira de socle à la P7. *Below the Larzac plateau, workers weave the steel reinforcement for the foundation slab which serves as the base of P7.*	Avril 2002 : les centaines de barres dressées vers le ciel esquissent déjà les contours de la future P6. *April 2002: hundreds of bars pointing towards the sky already sketch the outline of the future P6.*

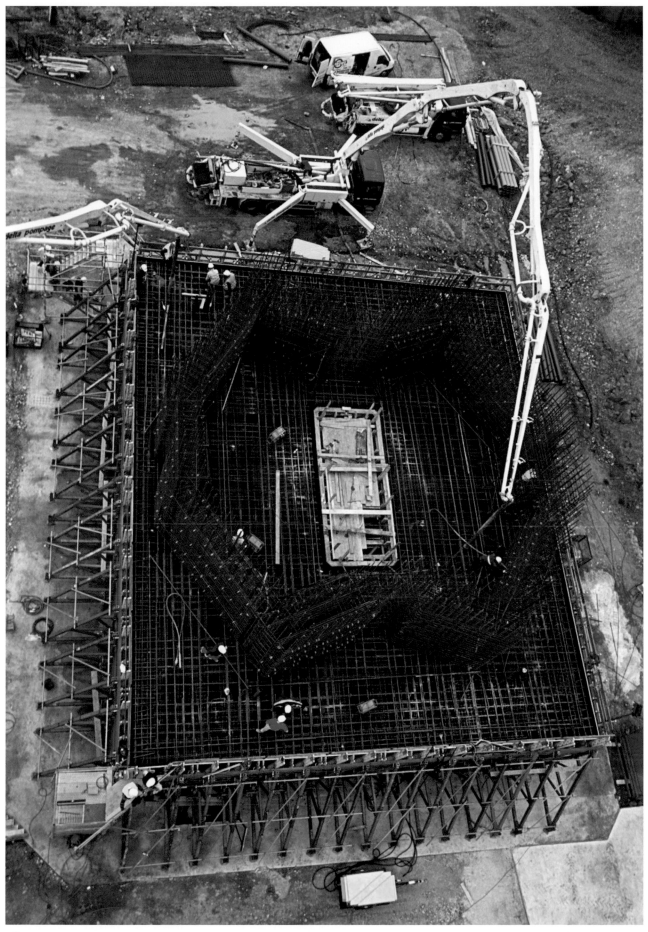

2

1

Un armaturier dans sa cage
de métal.

*A reinforcement worker in his steel
cage.*

2

Les culées ont été bétonnées
en plusieurs phases successives,
en raison de leurs dimensions :
pas moins de 13 mètres de large,
et de 30 à 38 mètres de longueur.

*The size of the abutments means that
they have to be concreted in several
successive stages. The are not less than
13 metres wide and 30 to 38 metres long.*

L'opération de bétonnage
de la semelle ne souffre aucune
interruption : les 2 000 m³ de béton
doivent être coulés en une seule
fois, sur une trentaine d'heures.
La nuit venue, les hommes
travaillent donc à la lueur des
projecteurs.

The concreting of each foundation slab
must be done without interruption: the
2000 m³ of concrete have to be poured
in one continuous operation over about
30 hours so after dark the men work
under floodlights.

1

2

2

1

Le chantier de la culée C8, point d'ancrage du tablier dans le Causse du Larzac, au sud.

The site of the southern abutment C8 - the anchorage point for the deck on the Causse du Larzac.

2

Avril 2002 : les premiers signes de l'ouvrage apparaissent dans la vallée du Tarn.

April 2002: the first signs of the structure appear in the Tarn valley.

25 | The Millau Viaduct

1

1

Mai 2002 : les hommes apportent les dernières finitions au coffrage intérieur de la P6.

May 2002: men give the finishing touches to the P6 interior formwork.

Page de droite, *right-hand page*

Le respect de l'environnement est une priorité sur le chantier du viaduc. La qualité de l'eau, de l'air et le niveau de bruit sont régulièrement contrôlés aux alentours du site.

Respect for the environment is a priority on the viaduct site. Water and air quality as well as noise level are regularly checked around the site.

1

Page de gauche, *left-hand page*

1

De coffrages en bétonnages,
la construction de la culée sud
progresse.

From formwork to concreting,
construction of the southern abutment
progresses.

Les sites de la C8, en arrière-plan,
de la P7 et de la P6 au premier-
plan. Les neuf chantiers béton
(7 piles et 2 culées) ont été menés
de front par les équipes d'Eiffage TP.

The C8 site in the background and
the P7 and P6 sites in the foreground.
Work at the 9 concrete sites (7 piers
and 2 abutments) has been carried out
at the same time by Eiffage TP teams.

1

Derrière son masque, le soudeur
se concentre sur sa tâche.

*Behind his mask, the welder
concentrates on his task.*

1

2

2

Le ferraillage : un puzzle
de plusieurs milliers de pièces
qui renforcent le béton.

*The three-dimensional steel puzzle
which reinforces the concrete.*

3

Le coffrage de la P6 vu de l'intérieur.

The P6 formwork seen from the inside.

4

Les sept grues déployées sur le site
ont hissé au total quelques 15 000
tonnes d'armatures métalliques.

*The seven cranes deployed on the site
lifted a total of around 15,000 tons of
steel reinforcing.*

3

4

Stockage des éléments de bois
et de métal qui composent
les panneaux de coffrage.

Storage of the wooden and steel
elements that will make up the
shuttering panels.

Les piliers de l'ouvrage progressent
de 4 mètres tous les 3 jours, grâce
à un système de coffrages très
perfectionné. Une fois le béton coulé,
le coffrage posé à l'extérieur de la
pile s'élève au moyen de consoles
auto-grimpantes ; tandis que le
coffrage à l'intérieur du fût est hissé
à l'aide d'une grue.

The piers of the structure are growing
at a rate of 4 metres every 3 days
thanks to a sophisticated system of
formwork. Once the concrete has been
poured the self-climbing formwork on
the outside of the pier raises itself
while the inside formwork is lifted by
the crane.

1

Double page suivante, *following page*

Près de deux kilomètres et demi
séparent le Causse du Larzac
du Causse rouge. Mais le viaduc
les réunira bientôt.

About two and a half kilometres separate
the Causse du Larzac and the Causse
rouge. But the viaduct will soon link them.

25 mars 2003

A l'assaut du vide

Sur les chantiers installés à chaque extrémité du viaduc, les hommes d'Eiffel s'activent depuis plusieurs mois pour assembler et souder les différents éléments qui composeront le tablier. Sur le Causse du Larzac, le premier tronçon est prêt au départ, la palée provisoire destinée à créer un point d'appui intermédiaire avant chaque pile est mise en place : le lançage peut commencer. Le 25 mars, le tablier sud part à l'assaut du vide en direction de la pile P7, imité en octobre par le tablier nord. Dans la vallée, les piles ont poursuivi leur ascension vers le ciel, à raison de 4 mètres tous les 3 jours. Le 12 juin 2003, la P2 dépasse les 181 mètres, **battant ainsi le record du monde** de hauteur ; avant de culminer en octobre à 245 mètres, sa taille définitive.

Conquering the void

*On the worksites installed at each end of the viaduct, men from Eiffel have been working for months to assemble and weld together the different elements that will form the deck. On the Causse du Larzac, the first section is ready to go: the temporary pier – whose job is to provide an intermediate resting point for the deck between piers – is in place so launching can start. On March 25th, the southern deck moves out over the void towards pier P7, imitated in October by the northern deck. In the valley, the piers have continued their climb towards the sky at a speed of 4 metres every 3 days. On June 12th, 2003 P2 exceeded 181 metres, **beating the world record**, before reaching its final height of 245 metres in October.*

1

2

1

Printemps 2003 : la P2, la plus
haute du viaduc, a déjà dépassé
les 141 mètres du record de France
le 21 février, et s'achemine vers
le record du monde.

*Spring 2003: pier P2, the highest
on the viaduct, has already topped
the 141 metres of the French record
on February 21st and is on its way
towards the world record.*

2

A raison d'une levée de 4 mètres
tous les 3 jours, les piles
poursuivent leur ascension dans
le décor verdoyant de la vallée.

*Rising by 4 metres every 3 days
the piers continue to grow above
the green landscape of the valley.*

1

2

Page de gauche, *left-hand page*, 1 & 2 | Double page suivante, *following page*

Sur les 90 derniers mètres, les fûts se dédoublent, ce qui assure la souplesse de l'ouvrage et lui confère sa silhouette élancée.

The piers are split into two over their topmost 90 metres, ensuring flexibility for the structure and giving it a slender appearance.

Les sept chantiers de piles dessinent d'ores et déjà le tracé du viaduc.

The seven pier worksites already indicate the future alignment of the viaduct.

1

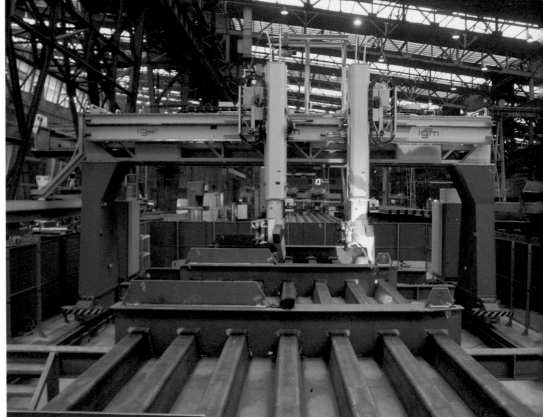

2

3

1

C'est dans l'usine de Lauterbourg, en Alsace, que les équipes d'Eiffel ont fabriqué la plupart des éléments métalliques qui composent le tablier et les pylônes du viaduc.

The Eiffel teams built most of the steel elements that make up the deck and pylons of the viaduct in their high-tech plant at Lauterbourg in Alsace.

2

Afin de respecter les délais de livraison très serrés, l'usine s'est dotée d'équipements de haute technologie comme ce robot de soudage à deux têtes.

In order to keep to the very tight delivery schedules, the plant is equipped with high-tech equipment such as this two-headed welding robot.

3

Pour gagner du temps, grâce à la préfabrication, c'est l'acier et non le béton qui a été choisi pour la construction des pylônes, ici aux ateliers Munch d'Eiffel, en Lorraine.

Steel, rather than concrete, was chosen for the construction of the pylons in order to gain time through pre-fabrication, as seen here in the Eiffel workshops at Munch in Lorraine.

1

Une fois assemblés, les caissons centraux sont acheminés sur le site de Millau par des camions d'une puissance de 600 chevaux ! Il faut bien ça pour transporter ces monstres d'acier de 60 à 90 tonnes chacun.

Once assembled, the central box girders are transported to the Millau site by 600 horsepower trucks. It needs that much power to carry these 60-90 ton steel monsters.

2

Sur les chantiers installés en arrière de chacune des culées, les caissons centraux sont joints bout à bout par tronçons de 171 mètres.

On the worksites behind each abutment, the central box girders are joined end-to-end into sections 171 metres long.

3

Assembleurs, monteurs et soudeurs se relaient de 6 heures à 22 heures pour donner forme à la colonne vertébrale du viaduc.

Assemblers and welders work shifts from 6 AM to 10 PM to make the spinal column of the viaduct.

1

2

3

1

Vue aérienne de la plate-forme installée sur le Causse du Larzac. Au premier plan, apparaît le chantier d'assemblage, suivi des abris de soudage, puis du tablier qui, au loin, poursuit sa progression vers le point de rencontre.

Aerial view of the worksite established on the Causse du Larzac. In the foreground appears the assembly site, followed by the welding shelters and by the deck which in the distance continues its progress towards the junction point.

Chaque zone d'assemblage est équipée de deux portiques de levage, permettant de déplacer des éléments pesant jusqu'à 45 tonnes.

Each assembly area is equipped with two lifting gantries allowing elements weighing up to 45 tons to be moved.

2

1

1 & 2

Le tablier sud, qui a quitté la terre
ferme pour la première fois le
25 mars 2003, attend son prochain
lançage qui aura lieu début juillet.

*The southern deck, which left terra
firma for the first time on March 25th,
2003 awaits its next launch which will
take place at the beginning of July.*

2

1

Printemps 2003 : le tablier se
rapproche de la palée provisoire,
sorte de béquille intermédiaire
placée à mi-chemin des piles.

*Spring 2003: the deck approaches
the temporary pier, an intermediate
support placed midway between piers.*

2

En tête, un avant-bec rouge
de 50 mètres de long guide
la progression et facilite l'accostage
sur les différents points d'appui.

*At the leading edge of the deck a red
50-metre long nose guides progress
and facilitates docking on to the
different supports.*

3

Une fois la palée provisoire atteinte,
le tablier poursuit sa route vers
la pile suivante à un rythme moyen
de sept mètres par heure.

*Once a temporary pier has been
reached, the deck continues its way
towards the next pier at an average
speed of 7 metres per hour.*

2

3

1

2

3

1 & 2

Différents éléments métalliques constituent le tablier : les caissons centraux, auxquels sont soudés de part et d'autre les caissons de rive, et les platelages latéraux.

The steel deck is composed of various elements: the central box girders, to either side of which are welded the lateral box girders and the lateral plates.

3

Soudure provisoire.

Temporary welding.

1 à 4, *1 to 4*

C'est bloc après bloc et à l'aide
d'une grue que se sont élevés les
pylônes placés à l'avant de chaque
partie de tablier.

*The pylons placed at the leading edge
of each half of the deck are assembled
block by block with the help of a crane.*

1

2

3

4

1

Pour la troisième opération
de lançage, l'avant du tablier sud
est équipé d'un pylône haubané afin
d'éviter que la poutre ne « pique
du nez » pendant son avancée.

*For the third launching operation
the leading edge of the southern deck
is equipped with a cable-stayed pylon
to prevent it from dipping during its
progress.*

2

Douze haubans provisoires, sur les
vingt-deux que comptera le pylône,
l'arriment au pont.

*Twelve of the twenty two stay cables
which will finally equip the pylon are
used to attach it to the deck.*

2

1

2

1

Les palées provisoires. Ces
gigantesques structures métalliques
rouges, grimpent entre les piles
grâce à un système hydraulique
de levage.

*The gigantic red steel temporary piers
are installed between each pair of main
piers by a hydraulic lifting system.*

2

Montée à l'aplomb du chantier
de la P2, la grue alterne le rouge
et le blanc pour satisfaire aux
exigences de l'aviation civile.

*With new sections added as the pier
P2 grows, the crane alternates red and
white sections to conform with civil
aviation requirements.*

1

2

1 & 2

Le 12 juin 2003, la P2 qui dépasse maintenant les 181 mètres, **bat le record du monde.** Un feu d'artifice à la hauteur de l'événement enchante invités et spectateurs millavois.

*On June 12th, 2003, pier P2 exceeded 181 metres and thus **beat the world record.** A firework display worthy of the event bewitches guests and spectators from Millau.*

1

2

3

1 & 2

Sur le site du viaduc, les éclairages
se déclenchent automatiquement
à la tombée de la nuit ; tandis que
les lumières rouges signalent la
présence des grues dans l'obscurité.

*Lights come on automatically at
nightfall on the viaduct worksite, while
red lights signal the presence of cranes
in the darkness.*

3

Le tablier se détache de façon
féérique sur le bleu de la nuit.

*The deck stands out magically against
the blue of the dusk.*

Double page suivante, *following page*

Juillet 2003 : le chantier à l'aube
d'une nouvelle journée de travail.

*July 2003: the worksite at the dawn
of a new working day.*

1

1

C'est grâce à un système de translation installé en haut de chacun des points d'appui que le tablier progresse au-dessus de la vallée. Lors de chaque opération de lançage, plusieurs dizaines de vérins hydrauliques soulèvent le pont puis l'avancent par saut de 60 centimètres en 3 min. 30.

Thanks to a translation system placed at the top of each supporting point, the deck progresses slowly across the valley. At each launching operation, several dozen hydraulic jacks lift the deck and propel it 60 centimetres in 3 min 30.

2

Le chantier du viaduc, qui requiert rigueur et précision, n'a pas lésiné sur les hautes technologies. Tandis qu'un ordinateur central coordonne les opérations de lançage, l'accostage du bec à la pile est guidé par satellite.

The viaduct worksite has not skimped on high technology to achieve the necessary precision. While a central computer coordinates the launching operations, the docking of the nose onto each pier is guided by satellite.

2

1

1

1

Les pylônes haubanés, qui renforcent la majesté de l'ouvrage, constituent une des attractions touristiques du chantier de Millau.

The cable-stayed pylons, which reinforce the majesty of the structure, provide one of the tourist attractions at the Millau site.

2

Les torons, ces gros fils d'acier qui composent les haubans, sont fixés dans les ancrages supérieurs et inférieurs, puis mis en tension.

The multi-stranded steel cables which compose the stay cables are fixed into upper and lower anchorages and then tensioned.

2

1& page de droite, *right-hand page*

L'été 2003 s'achève. La nuit tombante apporte un peu de fraîcheur et surtout un magnifique spectacle au cœur des deux Causses.

The summer of 2003 draws to a close. Nightfall brings a little coolness and above all a magnificent spectacle between the two Causses.

1

A l'intérieur de chaque hauban,
le nombre de torons varie en
fonction de sa longueur. 45 torons
sont glissés dans le hauban le plus
court, contre 91 dans le plus long,
afin de répartir au mieux la tension
supportée par ces fils d'acier.

*The number of strands inside each
stay cable changes according to its
length. 45 strands are slid into the
shortest stay cable and 91 into the
longest in order to spread the load
imposed on these steel wires.*

1

2

Le pylône du tablier sud, en forme
de Y inversé, viendra se placer
dans le prolongement des deux
branches de la pile 3 au moment
de la jonction au-dessus du Tarn.

*The pylon at the leading edge of the
southern deck, an inverted Y shape,
will be positioned above the split
shafts of pier P3 at the moment of
the junction of the deck halves above
the Tarn river.*

Double page précédente, *previous page*

La grue est fixée à la pile par
des pièces de métal appelées
bracons.

*The crane is fixed to the pier by steel
brackets.*

1

2

3

4

1 à 4, *1 to 4*

A chaque pile son chantier !
Cette organisation en équipes
stimule les hommes qui grimpent
toujours plus haut, en respectant
un calendrier très serré.

To each pier its own worksite!
This organization in competing teams
stimulates the men who climb ever
higher while trying to keep to a very
tight timetable.

1

2

3

4

Les grues, montées à l'aplomb
des piles du viaduc, les dominent
toujours de quelques mètres.
A ces hauteurs vertigineuses
(265 m pour la grue de la P2 !),
elles sont soumises à des vents qui
peuvent dépasser les 180 km/h.

*The cranes, fixed to each pier of the
viaduct, always top it by a few metres.
At these vertiginous heights (265 m for
the crane on P2!) they are subjected to
winds that can exceed 180 km/h.*

1

Page de droite, *right-hand page*

1

Au cœur du tablier, les caissons centraux hauts de 4,20 mètres, accueillent de multiples équipements. Câbles électriques, fibres optiques et capteurs parcourent la structure horizontale de cet ouvrage sous haute surveillance.

Inside the deck, the 4.20-metre high central box girders contain a great deal of equipment. Electrical cables, fibre optic cables and sensors run the length of this closely-monitored structure.

Le tablier à l'abordage de la vallée.

The deck poised to cross the valley.

1

2

1

La benne, soulevée dans les airs
par la grue, alimente les piles qui
engloutissent pas moins de 200 m³
de béton à chaque levée.

*A bucket is lifted into the air by crane
to feed the pier which swallows not
less than 200 m³ of concrete at each
pouring.*

2 & 3

Du début à la fin, la construction
des piles a été guidée par un
système de mesure par GPS d'une
grande précision, et efficace par
tous les temps !

*From start to finish, the construction
of the piers has been guided by a high
precision GPS measuring system which
works whatever the weather!*

3

Octobre 2003 : sur le Causse rouge, le tablier nord qui vient de quitter la terre ferme, se dote lui aussi d'un pylône pour soutenir son avancée au-dessus du vide.

October 2003: on the Causse rouge *the northern deck, which has just left terra firma, is also equipped with a pylon to support its progress above the void.*

A cette date, près de 200 000 personnes ont déjà visité le chantier du viaduc, curieuses de découvrir les secrets de fabrication de cet ouvrage exceptionnel.

By this date, about 200,000 people have already visited the viaduct worksite, curious to discover the secrets of the construction of this exceptional structure.

La vie du Causse se poursuit, tandis que le tablier nord s'élance en direction de la pile P1, à flanc de versant.

Life continues on the Causse *while the northern deck soars towards pier P1, following the hillside.*

1

1

2

Page de gauche, *left-hand page*

1

2

Le tablier nord, lancé 5 mois après son jumeau du Causse du Larzac, n'a que 717 mètres à parcourir au-dessus de la vallée du Tarn, contre 1 743 mètres pour le tablier sud.

The northern deck, launched 5 months after its twin on the Causse du Larzac, has only 717 metres to cross above the Tarn valley, as against 1,743 metres for the southern deck.

Les écrans brise-vent se dessinent déjà en bordure du tablier. Les montants ont été intégrés au fur et à mesure de l'assemblage des tronçons.

The wind screens are already taking shape on the edge of the deck. The uprights are fixed into the deck structure as each section is assembled.

Au-dessus de la brume qui baigne la vallée, le tablier nord a accompli avec succès son deuxième lançage, tandis que la partie sud en compte déjà cinq à son actif.

Above the mist covering the valley the northern deck has successfully undergone its second launching whereas its southern counterpart has already undergone five.

24 novembre 2003

Les piles à leur zénith

Moins de deux ans après le début des travaux, le chantier des piles touche à sa fin. Le 24 novembre, les sept aiguilles de béton ont toutes atteint leur zénith ! A cette occasion, un tube de cuivre, contenant le nom des 537 personnes qui ont participé à leur construction est glissé dans le béton de la P3, ainsi qu'une pièce commémorative de 1,5 euro ornée, côté pile, d'un viaduc. Quelques jours plus tard, un magnifique feu d'artifice célèbre l'événement, pour le plus grand plaisir de l'équipe et des nombreux spectateurs.

The piers reach their zenith

Less than two years after the beginning of the works, construction of the piers is drawing to a close. On November 24th, the seven concrete needles have all reached their zenith! On this occasion, a copper tube containing the names of the 537 people who participated in their construction is placed in the concrete of P3 as well as a commemorative 1.5 euro coin decorated on the back with a viaduct. A few days later, a magnificent fireworks display celebrates the event to the great pleasure of the construction team as well as numerous spectators.

1

2

1

2

Tandis que le tablier progresse, le chantier des piles touche à sa fin. Le 24 novembre, la P3 accueille sa dernière coulée de béton : toutes les aiguilles sont désormais à leur zénith. Mission accomplie pour les équipes « béton » d'Eiffage !

As the deck progresses, construction of the piers approaches the end. On November 24th, pier P3 receives its last load of concrete: all the needles have now reached their zenith. Mission accomplished for the Eiffage "Concrete" teams.

Le site vu d'hélicoptère en novembre 2003. La ville de Millau s'étale dans la vallée entre le Causse du Larzac, à gauche, et le Causse rouge, à droite de l'image.

The site seen from a helicopter in November 2003. The town of Millau is spread out between the Causse du Larzac *on the left and the* Causse rouge *on the right of the picture.*

De l'autre côté du chantier, le viaduc s'offre sous un nouveau jour.

From the other direction, the viaduct shows itself in a new light.

Double page précédente, *previous page* | 1 & 2 | 3 & 4

Le 9 décembre 2003, malgré le froid, plus de 400 personnes s'étaient rassemblées pour admirer le spectacle son et lumière organisé en l'honneur de la fin des 9 chantiers béton. Le temps d'une soirée, place aux festivités !

On December 9th, 2003, despite the cold more than 400 people came to admire the son et lumière *show organised in honour of the end of work at the 9 concrete worksites. Just for one night, it's time for a party!*

Tandis que 7 faisceaux d'argent rappellent la course vers les nuages qui vient de s'achever, un rayon laser vert vient se positionner dans le prolongement des piles, créant l'illusion, l'espace de quelques instants, d'un tablier de lumière.

While 7 silver beams recall the race for the sky which has just ended, a green laser beam shining across the piers creates, just for an instant, the illusion of a deck of light.

Bombes multicolores et jets dorés ont embrasé pendant de longues minutes la vallée plongée dans l'obscurité.

For long minutes multicoloured bombs and golden jets light up the darkened valley.

1

3

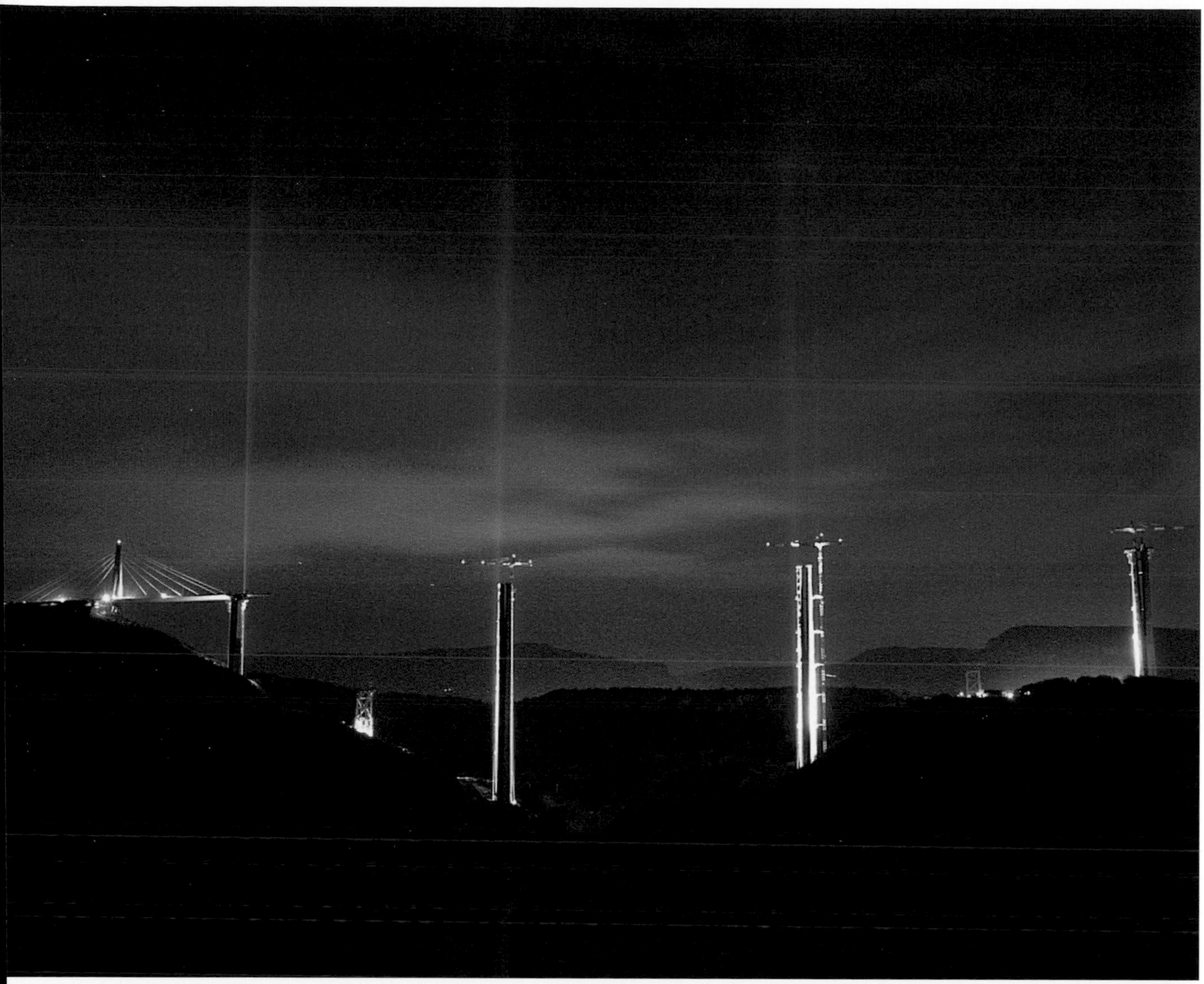

2

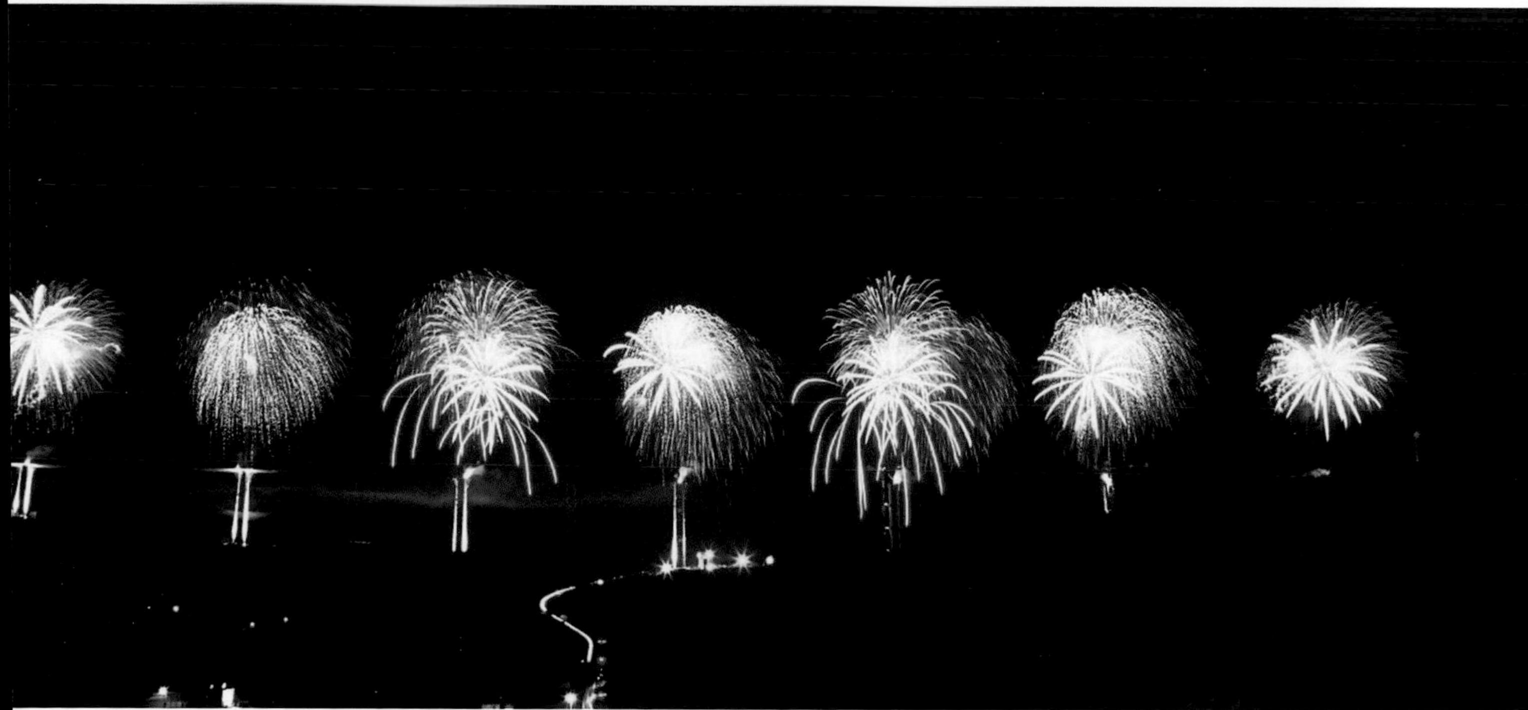

4

1, 2, & page de droite, *right-hand page*

Piles, tabliers et pylônes haubanés :
successivement tous les éléments
du viaduc ont revêtu leurs plus
beaux habits de lumière pour figurer
l'avancée des travaux et fêter
l'événement.

Piers, decks and cable-stayed pylons:
all the elements of the viaduct are
beautifully illuminated one after the
other to show the progress of the works
and to celebrate the event.

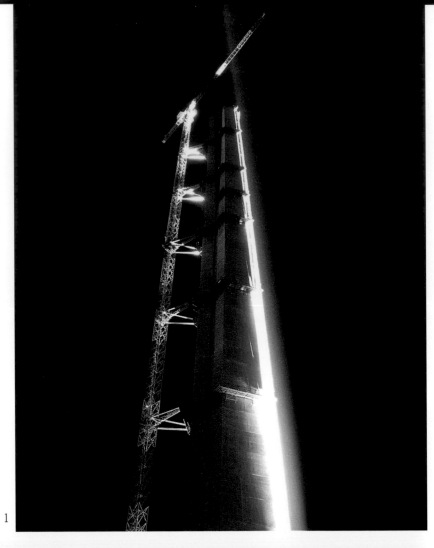

1

2

28 mai 2004

Rencontre à 268 mètres au-dessus du Tarn

Rien n'arrête l'avancée des deux parties du tablier, qui progressent l'une vers l'autre grâce à un système de vérins hydrauliques. A raison de 7 mètres par heure en moyenne, toutes les 4 semaines, 171 mètres sont franchis au-dessus de la vallée du Tarn à chaque opération. Jusqu'au jour tant attendu de la rencontre : vendredi 28 mai aux alentours de midi, un mètre sépare encore les deux tabliers, puis c'est la poignée de main à 268 mètres de hauteur au-dessus de la rivière. Guidée par satellite, la jonction s'opère au centimètre près. Reste alors à dresser les pylônes, déjà assemblés sur le site, et dont la construction a débuté il y a de longs mois. Aux deux premiers mâts métalliques de 87 mètres, amarrés dès le début du lançage pour rigidifier la structure, s'en ajoutent cinq autres, levés puis soudés dans la continuité des piles. Il ne manque plus que les haubans pour suspendre l'ouvrage et lui donner son allure de navire toutes voiles dehors. Fin août, c'est chose faite !

Meeting 268 metres above the Tarn river

Nothing can stop the advance of the two parts of the deck which progress towards each other thanks to a system of hydraulic jacks. Every four weeks a new launching operation moves one deck or the other 171 metres forward above the Tarn valley at an average speed of 7 metres per hour. At last the long-awaited day arrives: on May 28th at around midday one metre still separates the two decks, then comes the handshake 268 metres above the river. Guided by satellite the joining of the two parts is carried out with millimetric precision. Next the pylons, whose construction started months ago and which are already assembled, must be erected. To the first two 87-metre steel towers, fixed to the deck halves from the beginning to give the structure rigidity, are added five more, lifted into position and welded above the pier shafts. Only the stay cables, which support the deck from the pylons, are missing to give the structure its appearance of a clipper ship under full sail. By the end of August, they are installed!

2

1

1 & 2

Amorcé en décembre 2001 pour
prendre fin trois ans plus tard, le
chantier du viaduc a traversé les
saisons. En cet hiver 2003, petits
jours brumeux et couchers de soleil
précoces succèdent à la canicule
de l'été.

*Started in December 2001 and ending
three years later the viaduct worksite
has lived through many seasons.
During the winter of 2003, short foggy
days and early sunsets follow the
summer heat wave.*

1, 2 & 3

C'est la société Forclum, filiale d'Eiffage, qui a réalisé l'intégralité des réseaux électriques pendant le chantier. Des dizaines de kilomètres de câbles parcourent les entrailles du viaduc, garantissant l'éclairage, la maintenance et la sécurité de l'ouvrage.

Forclum, a subsidiary of Eiffage, undertook all the electrical work during the construction of the viaduct. Tens of kilometres of cables run through the bowels of the structure, guaranteeing light, maintenance capacity and safety.

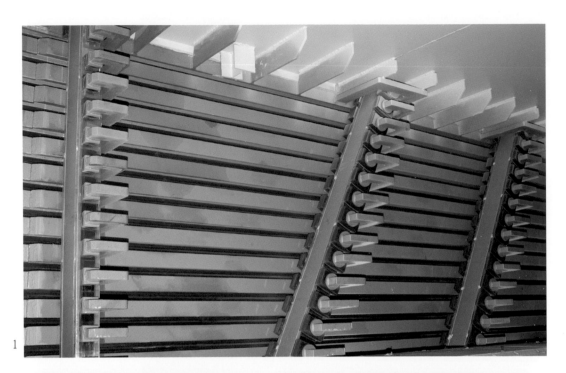

1

2

3

1

2

1

Janvier 2004 : la neige s'invite
sur le chantier.

*January 2004: snow falls on the
worksite.*

2

Les derniers caissons centraux,
en provenance de l'usine Eiffel de
Fos-sur-Mer, arrivent sur le site
de Millau. Au total, 1 250 convois
spéciaux auront été nécessaires
pour acheminer les pièces
métalliques du tablier depuis les
usines jusqu'au chantier.

*The last of the central box girders
arrive at the worksite from the Eiffel
plant at Fos-sur-Mer. A total of
1,250 wide-load convoys were
necessary to transport the steel deck
pieces between the plants and
the worksite.*

La météo a parfois contrarié
le calendrier très serré des travaux.
Des rafales de vent supérieures à
110 km/heure ont momentanément
interrompu le lançage du tablier.
Difficile également de travailler
quand une couche de neige
recouvre le tablier.

*The weather sometimes interfered
with the very tight timetable of works.
Gusts of wind in excess of 110 km/h
momentarily interrupted the launching
of the deck. It is also difficult to work
when a layer of snow covers the deck.*

1

1

1, 2 & 3

Les têtes de piles, pleines sur
les dix-huit derniers mètres, sont
couronnées par une charpente
métallique rouge, sur laquelle est
fixé le système de lançage.
D'un côté ou de l'autre, un bras
de métal vient enserrer le tablier
qui progresse pas à pas.

*The heads of the piers, solid for their
topmost 18 metres, are crowned by
a red metal framework to which is fixed
the launching system. From one side
or the other, a metal arm extends to
hold the deck as it advances step
by step.*

1

1

Février 2004 : depuis la première
opération de lançage en février
2003, huit ont eu lieu du côté
du Causse du Larzac, contre quatre
depuis le Causse rouge.

*February 2004: since the first one
in February 2003, eight launching
operations have taken place from
the* Causse du Larzac *and four from
the* Causse rouge.

2

L'ombre du viaduc, projetée dans la
vallée, laisse entrevoir au second
plan la ville de Millau.

*The shadow of the viaduct cast over
the valley leads the eye towards the
town of Millau in the middle distance.*

2

1

Le Viaduc de Millau

1 & 2

Le tablier nord s'avance lui aussi vers le point de rencontre. Une fois la P1 atteinte, il progresse vers la P2, dernier point d'appui avant la jonction au-dessus du Tarn.

The northern deck is also progressing towards the meeting point. Having reached P1, it progresses towards P2, the last supporting point before the junction above the Tarn river.

Au sommet de chaque pile, quatre points d'ancrage ont été intégrés à la structure afin de la fixer définitivement, une fois sa course terminée.

At the top of each pier, four anchorage points have been set into the structure to receive the advancing deck and then to fix it in place definitively once it is in its final position.

La P3, trois semaines avant le clavage.

Pier P3, three weeks before the joining of the deck halves.

1

Double page suivante, *following page*

Dans quelques jours, les deux
parties se rejoindront enfin, le temps
d'effectuer la dernière opération
de lançage du tablier sud.

*In a few days, the two parts will finally
join after the last launch of the
southern deck.*

1

1

24 avril 2004 : premier au rendez-vous, le tablier nord suspendu dans le vide, attend son frère jumeau qui achève la traversée. Comme prévu, le pylône est venu se placer dans le prolongement de la P2, complétant ainsi la forme en chas d'aiguille des piliers de l'ouvrage.

April 24th, 2004: the northern deck, suspended above the void, is the first one to reach the junction point; it waits for its twin to complete its journey. As planned, the pylon takes up its position directly above pier P2, thus completing the needle's eye shape of the piers.

2

Les deux parties de tabliers attendent l'ultime instant de la rencontre.

The two halves of the deck await the ultimate rendez-vous.

2

1

1

Dix-huit poussages auront été nécessaires pour réunir les tabliers nord et sud à 268 mètres au-dessus du Tarn.

Eighteen launches have been necessary to bring together the northern and southern parts 268 metres above the Tarn river.

2 & 3

Le 28 mai, à 14h12, la rencontre se réalise enfin, quinze mois après les premiers lancements. A l'émotion succède la concentration car il faut maintenant assembler au millimètre près les deux tronçons du tablier.

On May 28th at 14h12, the rendez-vous finally takes place, fifteen months after the first launch. Emotion must give way to concentration because it is now necessary to join the two sections of deck with millimetric precision.

2

3

1

1 & 2

Une fois le tablier clavé, il faut
placer les 5 derniers pylônes
du viaduc. Soudés au sol sur
les plates-formes d'assemblage,
ils sont ensuite transportés puis mis
à la verticale dans le prolongement
des piles, grâce à un système de
levage inspiré de celui des
obélisques égyptiens.

*Once the deck halves have been joined
together, the last five pylons must
be put in place. Welded on the ground
in the assembly areas, they are then
transported into place and raised to
the vertical over the piers using a lifting
system inspired by those used for
egyptian obelisks.*

2

Double page

Deux gigantesques bras d'acier
soulèvent le pylône grâce à un système
de vérins hydrauliques, ce qui fait
basculer peu à peu le mât d'acier
à la verticale. Au bout de huit heures,
celui-ci atteint sa position définitive, prêt
à recevoir ses onze paires de haubans.

*Two gigantic steel levers lift the pylon thanks
to a system of hydraulic jacks which rock
the pylon little by little until it is vertical.
After eight hours, it reaches its final position,
ready to receive its eleven pairs of stay cables.*

14 décembre 2004
DECEMBER 14th, 2004

Inauguration du viaduc

Avant que les automobilistes ne puissent s'élancer au-dessus du Tarn, les dernières finitions s'imposent. En premier lieu : la chaussée. Le ruban noir qui habillera bientôt les 2 460 mètres du pont est l'œuvre de la société Appia, filiale routière du groupe Eiffage qui a élaboré en laboratoire l'enrobé spécifique au viaduc. Une fois le tablier protégé par une feuille d'étanchéité, l'application peut commencer ! Une couche de bitume de 7 cm d'épaisseur vient recouvrir en quelques jours l'ouvrage presque achevé. Il ne manque plus que les écrans brise-vent composés de lamelles en plexiglas, les postes d'appel d'urgence et les bandes blanches, tracées début novembre. Vient alors la période de test pour le viaduc. Soumis à un chargement de près de 1 000 tonnes au milieu de chaque travée, puis à des essais dit « dynamiques », il confirme sa résistance. Toutes les conditions de sécurité sont réunies pour inaugurer le fruit de trois ans de travail. Le 14 décembre 2004, dans une ambiance de fête, le Président de la République salue l'achèvement de « cet ouvrage exceptionnel ». Place aux usagers de l'autoroute A75 !

The viaduct inauguration

Before motorists can drive above the Tarn, the last finishing touches are necessary. First, the road surface. The black ribbon which will soon cover the 2,460 metres of the bridge is the work of Appia, the road subsidiary of the Eiffage group, which developed a surfacing material specific to the viaduct in its laboratory. Once the deck has been protected with a watertight layer, application of the surfacing material can begin. In a few days a 7cm layer of asphalt has covered the almost-completed structure. Only the Plexiglas strips for the wind screens, the emergency telephones and the white lines (already traced out in early November) are missing. Then comes the period of testing for the viaduct. Subjected to a 1,000 ton load at mid-span, then to "dynamic" tests, the structure confirms its solidity. All the necessary safety conditions are met and the fruit of three years of work can be inaugurated. On December 14th, in a party atmosphere, the President of the Republic in person salutes the completion of this "exceptional structure". Now it is the turn of A75 motorway users!

2

1 & 2

Été 2004 : les deux rubans d'acier
ne font plus qu'un. C'est au tour
d'Appia, filiale routière d'Eiffage,
d'entrer en action sur le chantier.
Successivement, les équipes
décapent, protègent et bitument
le tablier.

Summer 2004: the two steel ribbons
are now one. It is the turn of Appia,
Eiffage's road-building subsidiary,
to swing into action on the viaduct.
Their teams successively clean,
protect and asphalt the deck.

1

1

Sur le site de Millau, deux postes de production fabriquent le revêtement spécifique qui nappera bientôt la structure horizontale du viaduc.

At the Millau site, two production plants manufacture the specifically-designed surfacing material which will soon cover the deck of the viaduct.

2

Le tablier est d'abord soumis au grenaillage : opération permettant de nettoyer la surface d'acier et de garantir l'adhésion de l'enrobé à venir.

The deck first undergoes sandblasting: this operation cleans the steel surface and guarantees the adhesion of the asphalt.

3

Puis les feuilles d'étanchéité sont appliquées sur les 2,5 km du viaduc. 65 000 m² sont ainsi recouverts pour protéger le tablier des intempéries.

Then 65,000 m² of waterproof membrane is applied to the 2.5 km of the viaduct to protect the deck against bad weather.

2

3

2

1

Septembre 2004 : le revêtement du tablier peut commencer. En moins de 4 jours, les « finisheurs », ces engins alimentés par une armada de semi-remorques, déposent les quelque 10 000 tonnes d'enrobés destinées à recouvrir les futures voies de circulation du viaduc.

September 2004: asphalting can start. In less than four days the " finishers", special machines supplied by an armada of articulated trucks, lay about 10,000 tons of bituminous material over the future traffic lanes of the viaduct.

Une fois appliqué, le revêtement est compacté par des cylindres lisses qui le réduisent à 7 cm seulement. Une couche unique et de faible épaisseur, mais très résistante ! Deux années durant, les chercheurs d'Appia ont multiplié les tests pour mettre au point l'enrobé propre au viaduc. Sécurité et confort sont au rendez-vous !

Once applied, the covering is compacted by smooth cylinders which reduce it to a thickness of 7 cm. A single layer which is very thin but very resistant! For two years, Appia's researchers have carried out many tests to perfect a bituminous layer which is adapted to the viaduct. Safety and comfort are both provided for!

3

1.

1

Page de droite, *right-hand page*

Le chantier touche à sa fin. Les palées provisoires qui soutenaient le tablier dans sa progression sont démontées les unes après les autres.

The construction work is nearing completion. The temporary piers which supported the deck during its progress across the valley are dismantled one after the other.

Le long de la chaussée, chaque écran brise-vent est constitué sur 3 mètres de hauteur par 5 lames en plexiglas transparent, destinées à réduire de 50% la vitesse du vent sur le viaduc.

On either side of the roadway the 3-metre high wind screens are formed by 5 transparent Plexiglas strips, aimed at reducing the wind speed across the structure by 50%.

1

1	2
Ce viaduc de l'extrême, dont la pile 2 avait déjà battu le record du monde en juin 2003, prend encore de la hauteur avec ses pylônes haubanés. Le mât d'acier dans le prolongement de la P2 culmine ainsi à 343 m, soit 20 m de plus que la Tour Eiffel.	De part et d'autre du pylône, 11 paires de haubans, de 60 à 180 mètres de longueur, s'étirent tels les cordages d'un navire.

This viaduct of extremes, whose pier P2 has already won the world record in June 2003, grows even higher with the addition of its cable-stayed pylons. The steel structure above P2 now culminates at 343 metres, i.e. 20 metres higher than the Eiffel Tower.

On either side of each pylon 11 pairs of cable-stays, 60 to 180 metres long, stretch like the ropes of a ship.

2

Le marquage des bandes blanches de la chaussée, déjà réalisé sur le Causse, se poursuit sur le tablier. Une opération qui s'étale sur deux jours.

Painting the white lines on the road, already undertaken on the Causse, *continues on the deck, taking two days.*

Pour tester la résistance de l'ouvrage, place aux « essais de charge ». 30 camions d'une masse totale de 1 000 tonnes sont regroupés à différents emplacements du tablier. La déformation maximale observée n'est que de 60 cm, loin des 1,20 m acceptables par la structure.

It is now time for the load trials which will test the strength of the structure. 30 trucks with a combined weight of 1,000 tons are grouped in different places on the deck. The maximum observed distortion is only 60 cm, well within the 1.20 m acceptable for the structure.

1

Double page précédente, *previous page*

1

2

Le viaduc de Millau, perché à
270 mètres de hauteur, rencontrera
plus d'une fois sur sa route les
nuages de la vallée. Les usagers
rouleront sur une mer de brume.

*The Millau viaduct, perched
270 metres above the valley will often
find itself in the clouds. Users will drive
on a sea of fog.*

Les dernières finitions viennent
parachever trois ans de gros œuvre.
Dans le cadre de l'appareillage
électrique réalisé par Forclum, des
feux de balisage aérien sont installés
au sommet de chaque pylône.
Pour une plus grande visibilité, ils
diffuseront une lumière blanche
le jour et rouge la nuit.

*The last finishing touches complete
three years of construction work. As
part of the electrical equipment made
by Forclum, aircraft warning lights are
installed at the top of each pylon. For
better visibility, they diffuse white light
during the day and red light at night.*

Décembre 2004 : avant l'ouverture
à la circulation, les panneaux
d'information et de signalisation
prennent place sur le tablier.

*December 2004: before it is opened
to traffic, information and road signs
are placed on the deck.*

2

Nimbé par les rayons du soleil le jour, le viaduc s'illumine discrètement la nuit venue. Sept aiguilles de béton se dessinent ainsi avec légèreté sur le ciel de la vallée.

Haloed by the sun's rays during the day, the viaduct is discreetly illuminated when night falls. Seven concrete needles are etched lightly against the sky above the valley.

2

Page de gauche, *left-hand page* & 1

L'éclairage du viaduc met en valeur la partie supérieure des 7 aiguilles. Un effet obtenu grâce à des projecteurs de 150 watts à faisceau très étroit.

The illumination of the viaduct emphasises the upper part of the seven needles. This effect is obtained using 150-watt floodlights with very narrow beams.

1

1

Le viaduc, achevé avec un mois d'avance sur le planning, est prêt à accueillir les usagers. Il ne reste plus qu'à célébrer la fin de ce chantier de 1 096 jours.

The viaduct, completed one month ahead of schedule, is ready to welcome users. It is now time to celebrate the end of the 1,096-day construction period.

1

Le 14 décembre 2004 : inauguration
du viaduc. A 11h15, Jacques Chirac
dévoile la plaque commémorative,
puis salue, en introduction au
discours prononcé à Millau, cet
ouvrage exceptionnel qui « va
marquer notre histoire industrielle et
technologique ».

*December 14th, 2004: inauguration
of the Viaduct. At 11.15 AM, Jacques
Chirac unveils the commemorative
plaque and then salutes, in the
introduction to his speech at Millau,
this exceptional structure which will
"mark our industrial and technological
history".*

1

2

3

2 & 3

Près d'un millier de compagnons
ont accompagné le Président
de la République sur le tablier,
en haut de la P2, pour admirer
les festivités.

*About a thousand people accompany
the French President onto the deck atop
P2 in order to admire the festivities.*

1	Page de droite, *right-hand page*
Nouveau maillon de l'autoroute A75 qui relie Clermont-Ferrand à Béziers, le viaduc est le plus haut pont autoroutier du monde.	Pylônes et haubans ont été peints en couleur claire, afin d'obtenir des effets de transparence et une inscription discrète sur le fond du ciel.
A new link in the A75 motorway linking Clermont-Ferrand and Béziers, the viaduct is the highest motorway bridge in the world.	*The pylons and stay cables have been clear coloured white in order to give a transparent effect and to make them stand out as little as possible against the sky.*

Pages 158 & 159

Dans la nuit tombante, un feu
d'artifice a embrasé le plus haut
viaduc autoroutier du monde.
Une ultime cérémonie d'adieu
pour tous ceux qui ont œuvré à
l'accomplissement de ce projet.

*At nightfall, a fireworks display lights
up the highest motorway viaduct in the
world. An ultimate farewell ceremony
for all those who have worked towards
the achievement of this project.*

Pages 160 & 161

Le viaduc est ouvert à la circulation
le 16 décembre 2004.
Avant d'amorcer la traversée,
les usagers peuvent embrasser
du regard sa silhouette en arc de
cercle légèrement pentu. En effet,
la culée nord étant plus basse
que la culée sud de 74 mètres,
l'ouvrage présente une déclivité
de 3%.

*The viaduct opens for traffic on
December 16th, 2004. Before crossing
it, users can admire its slightly curved
and sloping silhouette. In fact, the
northern abutment being some
74 metres lower than the southern
one, the structure has a slope of 3%.*

Quelques minutes suffisent
désormais à franchir les gorges du
Tarn, haut-lieu de tourisme français
à proximité des caves de Roquefort,
des cités templières et de l'abbaye
cistercienne de Sylvanès.

*A few minutes are now all that is
necessary to cross the Tarn gorges,
a Mecca for tourists with the nearby
Roquefort cheese cellars, the fortified
villages of the Knights Templar and
the Cistercian Abbey of Sylvanès.*

1

1

L'ouvrage aux lignes épurées se
fond harmonieusement dans le
superbe décor des Causses.

The refined lines of the viaduct blend
harmoniously into the superb
landscape of the Causses.

10 octobre 2001 : parution au Journal Officiel du décret approuvant la concession du viaduc à la société Eiffage.

14 décembre 2001 : pose de la première pierre par Jean-Claude Gayssot, alors Ministre de l'Équipement et des Transports.

10 janvier 2002 : la construction de la culée C8, au sud, commence.

4 février 2002 : début des travaux de fondation des piles.

14 avril 2002 : la P6 commence son ascension, marquant le départ de la phase d'édification des piles.

1 septembre 2002 : l'assemblage des caissons centraux, qui composent le tablier du viaduc, débute sur le site de Millau.

21 février 2003 : la P2, qui atteint 145 mètres, bat le record de France de hauteur.

25/26 mars 2003 : première opération de lançage du tablier sud au-dessus de la vallée du Tarn.

12 juin 2003 : la P2 mesure déjà 183 mètres et bat le record du monde de hauteur de pile.

10 septembre 2003 : le tablier nord s'élance lui aussi au-dessus du vide.

20 octobre 2003 : fin de la construction de la P2, qui culmine à 245 mètres.

24 novembre 2003 : la pile P3 s'achève et avec elle, les 6 autres piles et les 2 culées.

9 décembre 2003 : un feu d'artifice célèbre la fin officielle des neuf chantiers béton (7 piles et 2 culées).

24 avril 2004 : la sixième et dernière opération de lançage du tablier nord s'achève. Suspendu au-dessus du vide, il attend que le tablier sud termine sa traversée.

28 mai 2004 : les deux parties de tablier se rejoignent enfin au-dessus du Tarn. C'est le moment du clavage. L'installation des pylônes débute, suivie de la pose des 154 haubans destinés à soutenir le tablier.

21/24 septembre 2004 : l'enrobé spécialement conçu pour la chaussée du viaduc est appliqué sur le tablier.

16/25 novembre 2004 : le viaduc est soumis à des essais dits « en poids mort » et « dynamiques », destinés à tester sa résistance.

14 décembre 2004 : inauguration du viaduc de Millau par le Président de la République Jacques Chirac.

16 décembre 2004 : le viaduc est ouvert à la circulation.

October 10th, 2001: publication in the Official Gazette of the decree awarding the concession of the viaduct to the Eiffage company.

December 14th, 2001: ceremonial laying of the first stone by Jean-Claude Gayssot, then Minister of Transport.

January 10th, 2002: the construction of the southern abutment, C8, begins.

February 4th, 2002: start of work on the pier foundations.

April 14th, 2002: P6 begins to rise, marking the beginning of the pier erection phase.

September 1st, 2002: the assembly of the central box girders, which will comprise the deck of the viaduct, begins at the Millau worksite.

February 21st, 2003: P2, reaching 145 metres, beats the French height record.

March 25th/26th, 2003: first operation to launch the southern deck over the Tarn valley.

June 12th, 2003: P2 is already 183 metres high and wins the world record for the highest pier.

September 10th, 2003: the northern deck is launched for the first time.

October 20th, 2003: end of the construction of P2, which culminates at 245 metres.

November 24th, 2003: the completion of P3 follows that of the other six piers and the two abutments.

December 9th, 2003: a fireworks display marks the official end of the nine concrete worksites (7 piers and 2 abutments).

April 24th, 2004: the sixth and final launch operation of the northern deck is completed. Suspended above the void it awaits the arrival of the southern deck.

May 28th, 2004: the two parts of the deck meet above the Tarn and can be joined together. The erection of the pylons begins, followed by the installation of the 154 stay-cables destined to support the deck.

September 21st/24th, 2004: the asphalt specially developed for the viaduct is laid on the deck.

November 16th-25th, 2004: the viaduct is subjected to "deadweight" and "dynamic" tests aimed at verifying its strength.

December 14th, 2004: inauguration of the Millau viaduct by Jacques Chirac, President of the Republic.

December 16th, 2004: the viaduct is opened to traffic.

Glossaire
GLOSSARY

— **Ancrage :** dispositif permettant de maintenir un câble tendu entre deux points.

— **Avant-bec :** structure métallique provisoire destinée à soulager la partie avant du tablier lors de l'opération de lançage.

— **Bracon :** élément de métal qui fixe le corps de la grue à la périphérie de la pile.

— **Caisson central :** parallélépipède d'acier de 4 mètres de côté qui compose la colonne vertébrale du tablier.

— **Causse :** plateau calcaire de la France méridionale. Le viaduc relie le Causse rouge, au nord, au Causse du Larzac au sud.

— **Clavage :** opération qui consiste à solidariser les deux parties de tablier au-dessus du Tarn.

— **Culée :** appui supportant chaque extrémité de l'ouvrage. Le viaduc en compte une au nord : la CO, et une au sud : la C8.

— **Fût :** partie intermédiaire d'une pile au-dessus de la semelle de fondation.

— **Hauban :** câble métallique rectiligne et oblique supportant le tablier d'un pont.

— **Lançage :** opération consistant à mettre en place le tablier par déplacement suivant son axe longitudinal.

— **Palée provisoire :** appui métallique intermédiaire de grande hauteur, installé entre chaque pile pour faciliter l'avancée du tablier.

— **Pile :** appui intermédiaire du viaduc. Le viaduc de Millau compte 7 piles.

— **Platelage :** plaque de métal composant le tablier.

— **Puits marocains :** puits de fondation des piles.

— **Pylône :** mât vertical supportant les haubans.

— **Toron :** assemblage de plusieurs gros fils en acier torsadés, inséré dans les haubans.

— **Translateur :** système permettant de supporter le tablier au repos, de le soulever et de le faire avancer par pas successifs.

— **Semelle :** dalle de béton armé coulée sur les puits de fondation et qui sert de socle à la pile.

— **Tablier :** structure horizontale du viaduc, appuyée sur les culées et les piles, qui accueille la chaussée.

— **Vérin :** appareil permettant d'exercer des efforts importants de poussée ou de traction.

— **Abutment:** *solid support at each end of the structure. The viaduct has two: CO at the northern end and C8 at the southern end.*

— **Anchorage:** *device allowing the holding of a tight cable between two points.*

— **Causse:** *limestone plateau in southern France. The viaduct connects the Causse rouge, in the north and the Causse du Larzac, in the south.*

— **Central box girder:** *4 metre-square hollow steel box forming the spine of the deck structure.*

— **Deck:** *horizontal element of the viaduct resting on the abutments and the piers and bearing the road surface.*

— **Decking:** *steel sheets forming the deck.*

— **Foundation shaft:** *deep shaft filled with concrete to support the piers.*

— **Foundation slab:** *reinforced concrete slab cast on top of the foundation shafts and used as a base for the pier.*

— **Jack:** *piece of equipment capable of exerting a strong pushing or lifting force.*

— **Keying:** *operation consisting of the joining of the two deck parts above the Tarn river.*

— **Launching:** *operation consisting of pushing the deck into place along its longitudinal axis.*

— **Launching nose:** *temporary steel structure used to relieve the stress on the leading edge of the deck during launching operations.*

— **Pier:** *main support for the viaduct. The Millau viaduct has 7 piers.*

— **Pylon:** *steel mast supporting the stay cables.*

— **Raker:** *steel element which fixes the crane body to the outside of the pier.*

— **Shaft:** *intermediate part of a pier above the foundation slab.*

— **Stay cable:** *straight, oblique steel cable supporting the deck of the viaduct.*

— **Strand:** *composed of twisted steel wires.*

— **Temporary pier:** *high steel structure erected between piers to provide intermediate supports during launching of the deck.*

— **Translator:** *system which supports the deck when it is not moving and which lifts and moves it forward in successive steps.*

Les grandes étapes de la construction

THE MAIN STAGES OF CONSTRUCTION

1

Construction des fondations, *Construction of the foundations,*
culées et piles | *abutments and piers*

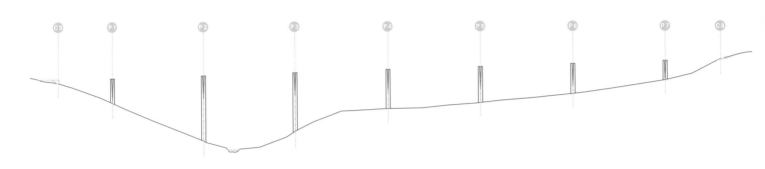

2

Assemblage des tronçons de tablier | *Assembly of the deck sections*
et lançages | *and launching*

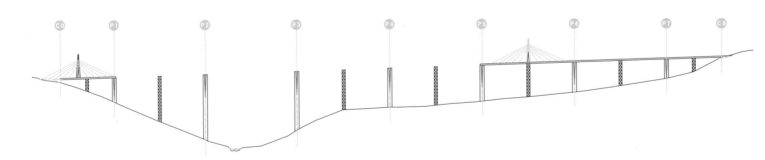

(3) Jonction des tabliers nord et sud au-dessus du Tarn | *Junction above the Tarn*

(4) Mise en place des pylônes et des haubans | *Erection of the pylons and stay-cables*

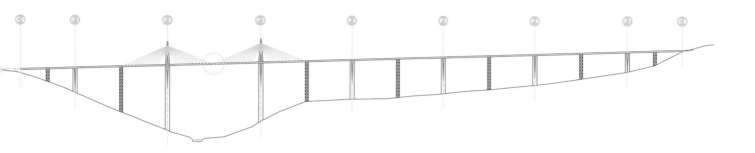

(5) Finitions et démontage des palées | *Completion and dismantling of temporary piers*

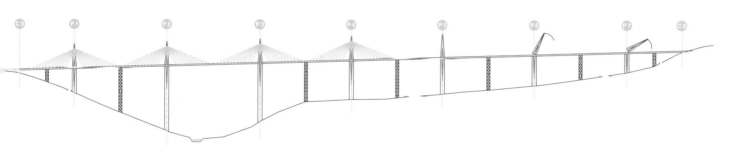

Élévation générale

Clermont-Ferrand

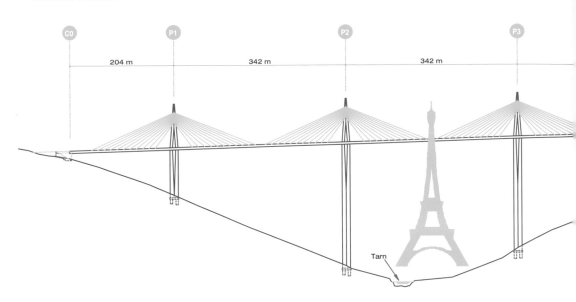

C0   P1   P2   P3

204 m   342 m   342 m

Tarn

Coupe transversale
GEN TRANSVERSE SECTION

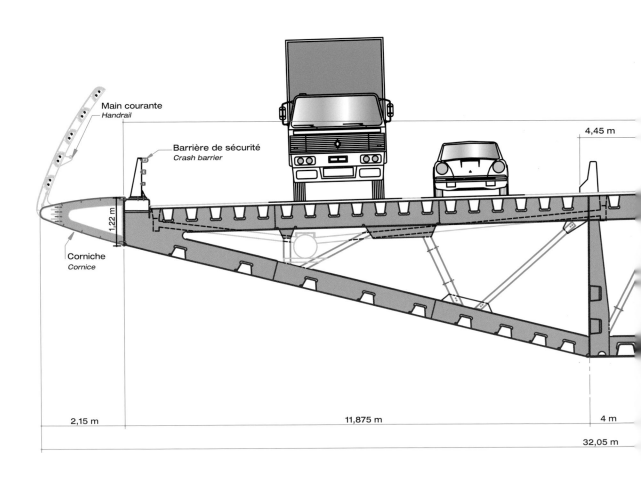

Main courante
Handrail

Barrière de sécurité
Crash barrier

4,45 m

1,22 m

Corniche
Cornice

2,15 m   11,875 m   4 m

32,05 m

Longueur totale du viaduc : 2 460 m
Total length of viaduct: 2,460 m

Béziers

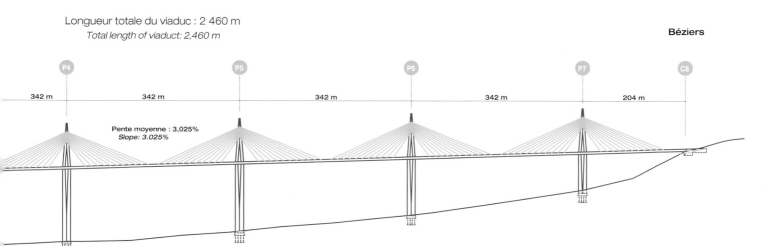

P4   P5   P6   P7   C8

342 m   342 m   342 m   342 m   204 m

Pente moyenne : 3,025%
Slope: 3.025%

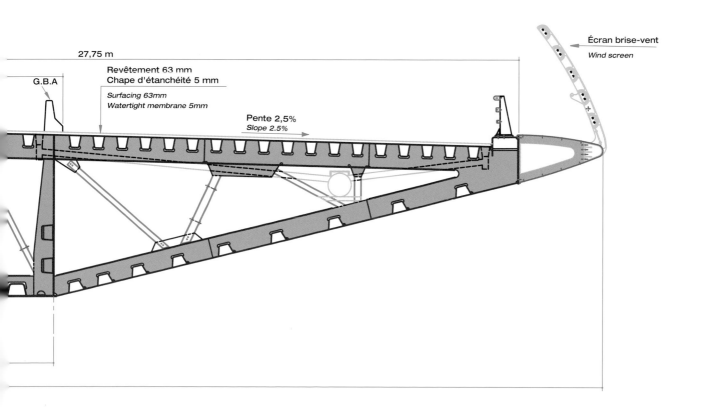

Écran brise-vent
Wind screen

27,75 m

G.B.A

Revêtement 63 mm
Chape d'étanchéité 5 mm
Surfacing 63mm
Watertight membrane 5mm

Pente 2,5%
Slope 2.5%

Coupe d'une pile

Pile élévation | *Pier elevation*

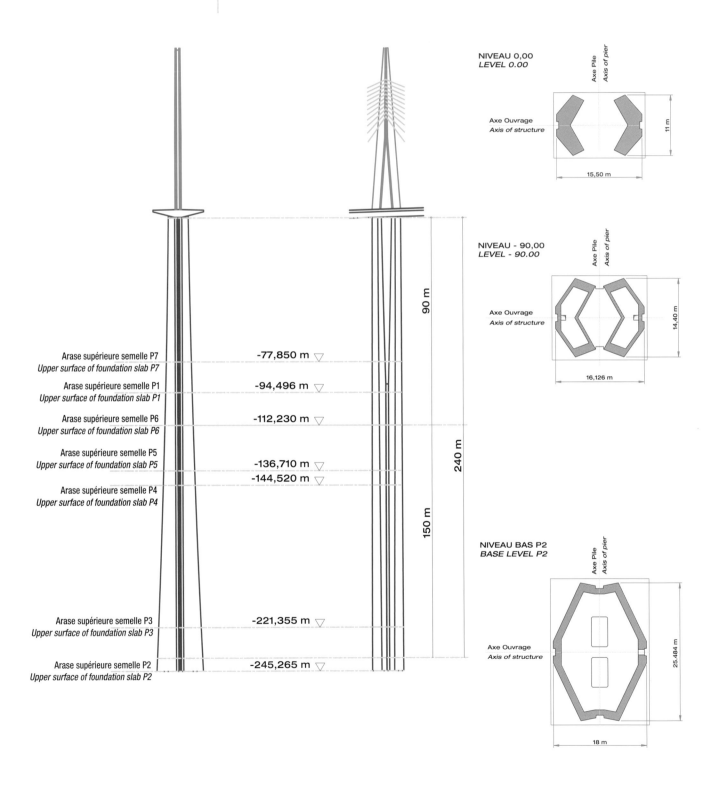

90 m

240 m

150 m

Arase supérieure semelle P7
Upper surface of foundation slab P7
-77,850 m ▽

Arase supérieure semelle P1
Upper surface of foundation slab P1
-94,496 m ▽

Arase supérieure semelle P6
Upper surface of foundation slab P6
-112,230 m ▽

Arase supérieure semelle P5
Upper surface of foundation slab P5
-136,710 m ▽

-144,520 m ▽

Arase supérieure semelle P4
Upper surface of foundation slab P4

Arase supérieure semelle P3
Upper surface of foundation slab P3
-221,355 m ▽

Arase supérieure semelle P2
Upper surface of foundation slab P2
-245,265 m ▽

NIVEAU 0,00
LEVEL 0.00

Axe Pile
Axis of pier

Axe Ouvrage
Axis of structure

11 m

15,50 m

NIVEAU - 90,00
LEVEL - 90.00

Axe Pile
Axis of pier

Axe Ouvrage
Axis of structure

14,40 m

16,126 m

NIVEAU BAS P2
BASE LEVEL P2

Axe Pile
Axis of pier

Axe Ouvrage
Axis of structure

25,484 m

18 m

Coupe d'un pylône

Élévation longitudinale | *Longitudinal section*

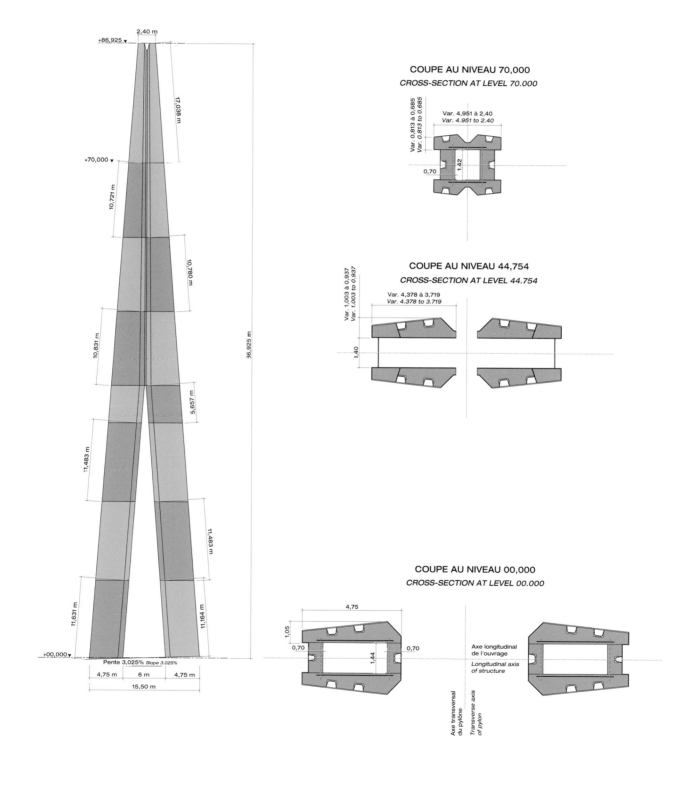

COUPE AU NIVEAU 70,000
CROSS-SECTION AT LEVEL 70.000

Var. 0,813 à 0,685
Var. 0.813 to 0.685

Var. 4,951 à 2,40
Var. 4.951 to 2.40

1,42

0,70

COUPE AU NIVEAU 44,754
CROSS-SECTION AT LEVEL 44.754

Var. 1,003 à 0,937
Var. 1.003 to 0.937

Var. 4,378 à 3,719
Var. 4.378 to 3.719

1,40

COUPE AU NIVEAU 00,000
CROSS-SECTION AT LEVEL 00.000

4,75

1,05

0,70

1,44

0,70

Axe longitudinal
de l'ouvrage

*Longitudinal axis
of structure*

Axe transversal
du pylône

*Transverse axis
of pylon*

2,40 m

+86,925

17,038 m

+70,000

10,721 m

10,780 m

10,831 m

5,657 m

11,483 m

11,483 m

36,925 m

11,631 m

11,194 m

+00,000

Pente 3,025% *Slope 3.025%*

4,75 m   6 m   4,75 m

15,50 m

Sources et crédits photographiques
Photographic sources and credits

La photo de couverture est de C. MOULLEC (Vol d'oies cendrées en migration vers l'Espagne).

Le reportage photographique a été réalisé par Daniel JAMME

à l'exception des pages 88-89 et 141 où figurent les images de Raphaël GAILLARDE, Agence GAMMA

et des photographies du groupe EIFFAGE.

Les droits de reproduction sont la propriété des photographes ou de leur agence.

The cover photograph is by C. MOULLEC (Greylag geese on migration towards Spain).

All other pictures are by Daniel JAMME, CAMARA Agency

except for pages 88-89 and 141: pictures by Raphaël GAILLARDE, GAMMA Agency

and pictures of EIFFAGE Group.

All pictures © the photographers or their agents.

Conception graphique et production
Graphic Design and production

DBA GRAPHIC, Arcueil, France

Rédaction
Writing

Julia DUBREUIL

Traduction
Translation

Robert TOBIN

Impression
Printing by

COMELLI, Villejust, France

Achevé d'imprimé pour le compte de la CEVM en juin 2005

©Editions CEVM – Péage de St-Germain – BP 60457 – 12100 MILLAU

Dépôt légal : mai 2005

N° éditeur : 2-9524478 – ISBN 2-9524478-0-2

©Photothèque Eiffage, X